SPMG

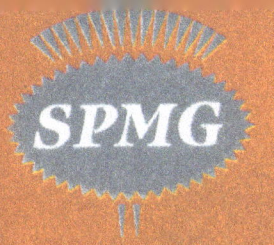

HEINEMANN MATHEMATICS 2

Name

WORKBOOK 1

Addition and Subtraction to 10

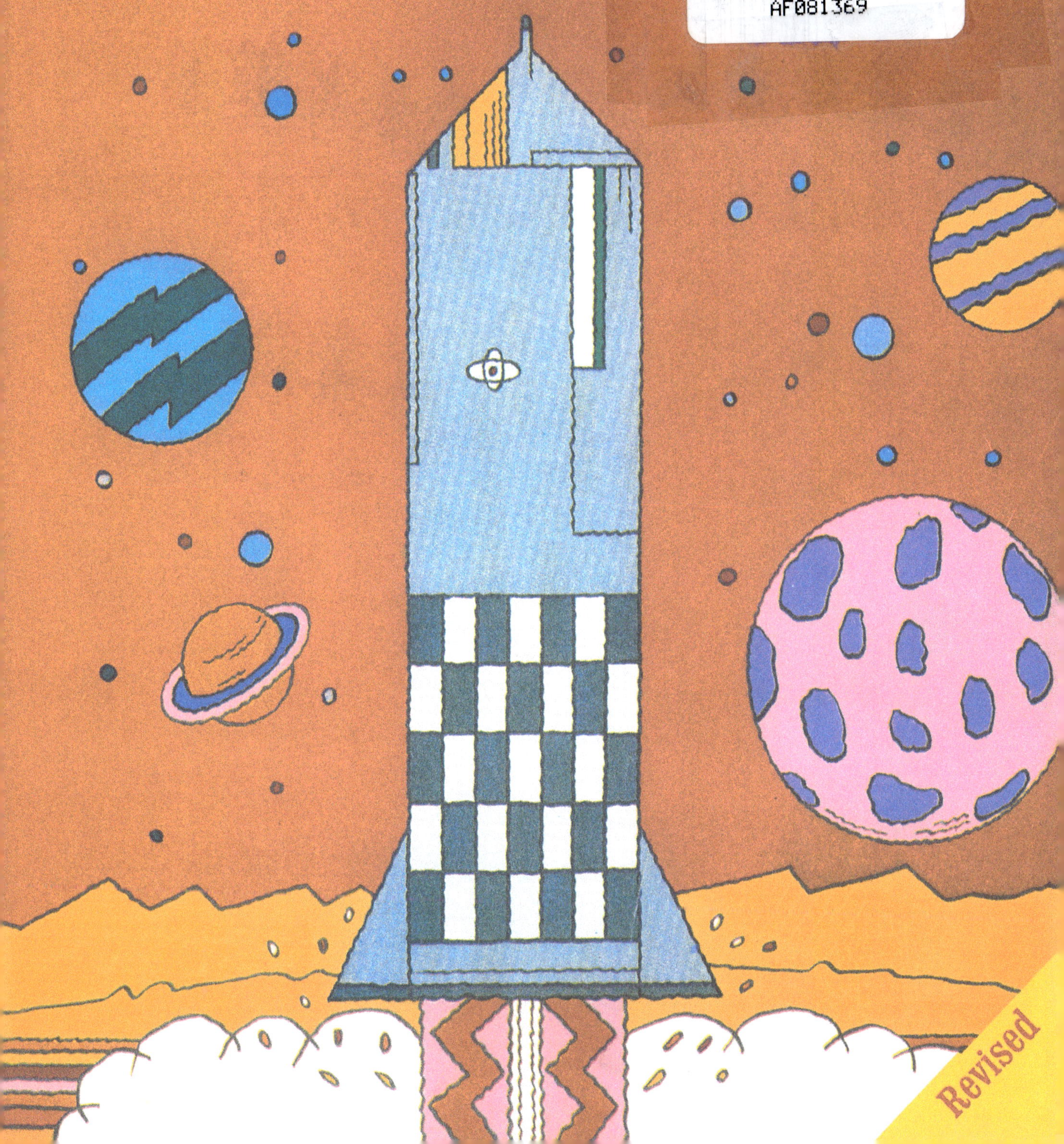

Revised

Problem solving

Cat and mice

Join each mouse to a red number.
Does the cat catch a mouse?

3

2   1

4

7 − 5

6 − 3

6 − 5

6 − 4

5 − 4

7 − 4

7 − 6

6 − 2

7 − 3

7 − 2

5 − 1

5

Sacks

8 − 0 = 8

8 − 1 =

8 −

8 −

8 −

8 −

8 −

8 −

Partners

Subtraction within 8

Games

How many skittles? ☐
3 fall down.
How many are left? ☐

How many clowns? ☐
5 fall down.
How many are left? ☐

How many balls? ☐
3 are lost.
How many are left? ☐

How many boats? ☐
5 are lost.
How many are left? ☐

There are 8 girls. 2 get lost.
How many are left? ☐

Subtraction within 8

6

Match

6 − 1

8 − 3

7 − 2

3

5

4

6 − 3

7 − 4

6 − 2

Find the missing numbers.

Problem solving

7 − 1 = ☐

7 − 2 = ☐

7 − 3 = ☐

7 − ☐ = ☐

7 − ☐ = ☐

8 − 2 = ☐

8 − 3 = ☐

8 − 4 = ☐

8 − ☐ = ☐

8 − ☐ = ☐

Fruit

How many grapes are there?

Eat 1.
9 − 1 =

9 − 2 = ☐

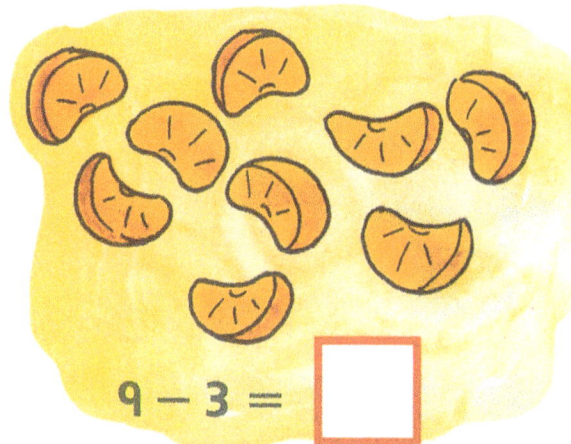

9 − 3 = ☐

9 − 4 = ☐

9 − 5 = ☐

9 − 6 = ☐

9 − 7 = ☐

9 − 8 = ☐

9 − 9 = ☐

Castles

Subtraction within 9

9 − 6 = ☐
8 − 8 = ☐
7 − 4 = ☐
9 − 7 = ☐

7 − 5 = ☐
9 − 5 = ☐
9 − 0 = ☐
8 − 5 = ☐

Taking from 10

9 On the bus

How many on the bus? ☐
1 gets off.
How many are left? ☐

10 − 1 = ☐

10 − 2 = ☐   10 − 3 = ☐   10 − 4 = ☐

10 − 5 = ☐   10 − 6 = ☐   10 − 7 = ☐

10 − 8 = ☐   10 − 9 = ☐   10 − 10 = ☐

7 get on a bus.
How many are left? ☐

Buses

| 10−5 | 9−7 | 10−2 | 10−9 | 8−3 |

| 10−10 | 10−3 | 9−5 | 10−1 | 10−8 |

How many buses? ☐

6  go away.   How many are left? ☐

Colour to match.

9 − 3   3
10 − 5   10
10 − 0   6
10 take away 7   5

Linking + and − facts for 3, 4, 5

In the garden

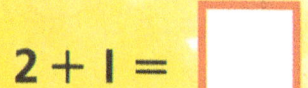
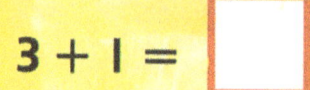

2 + 1 =
1 + 2 =
3 − 1 =
3 − 2 =

3 + 1 =
1 + 3 =
4 − 1 =
4 − 3 =

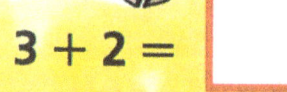

4 + 1 =
1 + 4 =
5 − 1 =
5 − 4 =

3 + 2 =
2 + 3 =
5 − 2 =
5 − 3 =

2 + 2 =
4 − 2 =

Linking + and − facts for 6 and 7

14

5 + 1 = ☐
1 + 5 = ☐
6 − 1 = ☐
6 − 5 = ☐

3 + 3 = ☐
6 − 3 = ☐

4 + 2 = ☐
2 + 4 = ☐
6 − 2 = ☐
6 − 4 = ☐

5 + 2 = ☐
2 + 5 = ☐
7 − 2 = ☐
7 − 5 = ☐

1 + 6 = ☐
7 − 6 = ☐

4 + 3 = ☐
3 + 4 = ☐
7 − 3 = ☐
7 − 4 = ☐

Linking + and − facts for 8

Birds

2 + 6 =
6 + 2 =
8 − 2 =
8 − 6 =

5 + 3 =
3 + 5 =
8 − 3 =
8 − 5 =

4 + 4 =
8 − 4 =

Extension

How many pigeons altogether?

5 fly away.

How many are left?

Which sheep has no lamb?

Linking + and − facts for 9

The picnic

8 + 1 = ☐   9 − 1 = ☐

1 + 8 = ☐   9 − 8 = ☐

7 + 2 = ☐   9 − 2 = ☐

2 + 7 = ☐   9 − 7 = ☐

6 + 3 = ☐   9 − 3 = ☐

3 + 6 = ☐   9 − 6 = ☐

5 + 4 = ☐   9 − 4 = ☐

4 + 5 = ☐   9 − 5 = ☐

Linking + and − facts for 10

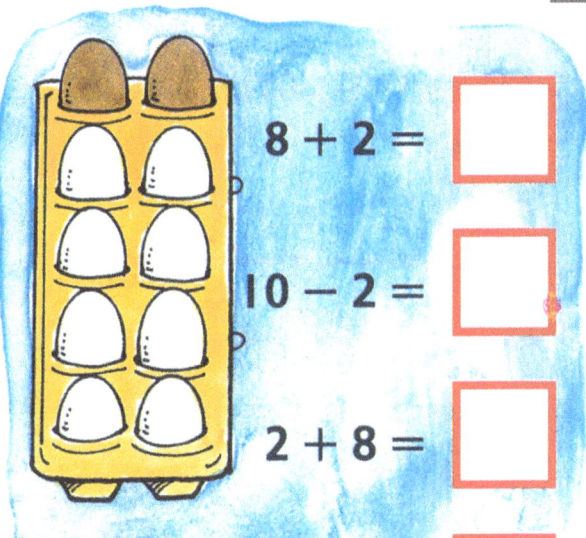

9 + 1 = ☐   10 − 1 = ☐

1 + 9 = ☐   10 − 9 = ☐

8 + 2 = ☐

10 − 2 = ☐

2 + 8 = ☐

10 − 8 = ☐

7 + 3 = ☐   10 − 3 = ☐

3 + 7 = ☐   10 − 7 = ☐

6 + 4 = ☐

10 − 4 = ☐

4 + 6 = ☐

10 − 6 = ☐

5 + 5 = ☐

10 − 5 = ☐

Number stories

10 bottles on a wall.
2 fall off.
How many are left?

10 − 2 =

5 apples in each bowl.
How many altogether?

9 people on a bus.
1 gets off.
How many are left?

There are 7 trees.
3 are cut down.
How many are left?

How many cakes altogether?

Houses

How many upstairs?

How many downstairs?

How many altogether?

$$\begin{array}{r}7\\+3\\\hline\end{array} \quad \begin{array}{r}2\\+6\\\hline\end{array} \quad \begin{array}{r}5\\+5\\\hline\end{array} \quad \begin{array}{r}8\\+2\\\hline\end{array} \quad \begin{array}{r}3\\+6\\\hline\end{array}$$

How many altogether?

3 go out. − 3

How many are left?

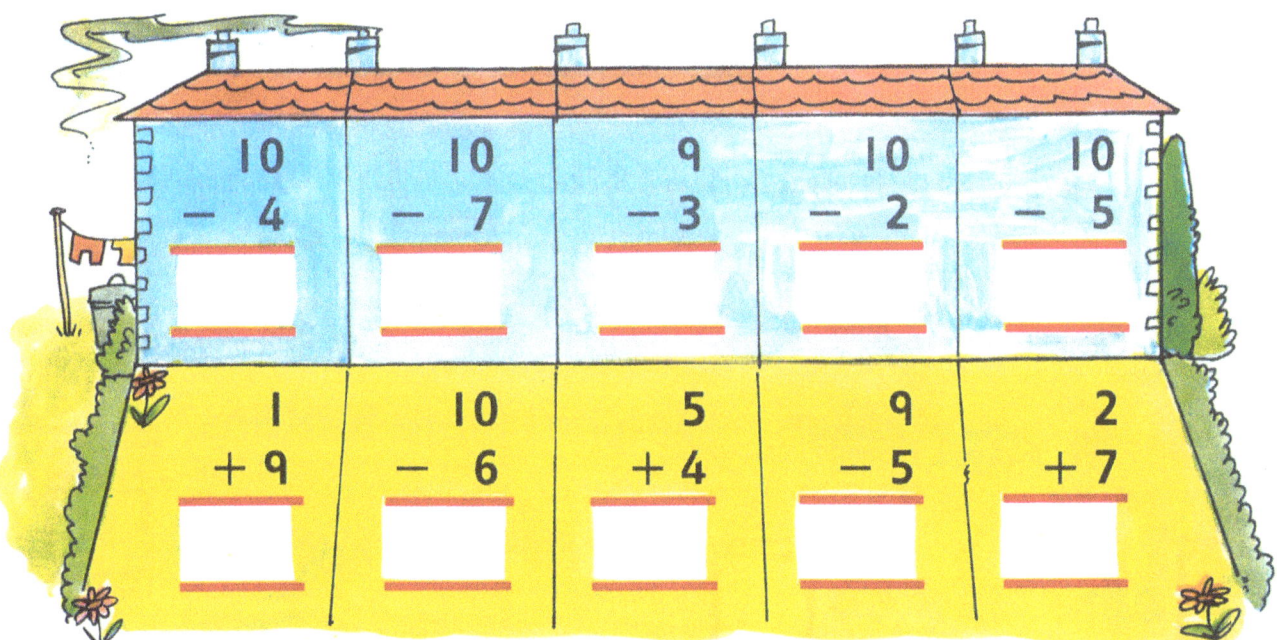

$$\begin{array}{r}10\\-4\\\hline\end{array} \quad \begin{array}{r}10\\-7\\\hline\end{array} \quad \begin{array}{r}9\\-3\\\hline\end{array} \quad \begin{array}{r}10\\-2\\\hline\end{array} \quad \begin{array}{r}10\\-5\\\hline\end{array}$$

$$\begin{array}{r}1\\+9\\\hline\end{array} \quad \begin{array}{r}10\\-6\\\hline\end{array} \quad \begin{array}{r}5\\+4\\\hline\end{array} \quad \begin{array}{r}9\\-5\\\hline\end{array} \quad \begin{array}{r}2\\+7\\\hline\end{array}$$

Toys

Bill has ☐ marbles.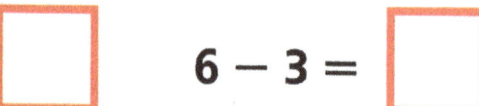

Ann has ☐ marbles.

How many more has Bill? ☐   6 − 3 = ☐

Tom has ☐ cars.

Ali has ☐ cars.

How many more has Ali? ☐   4 − 2 = ☐

Sue has ☐ fish.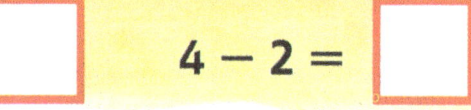

Amy has ☐ fish.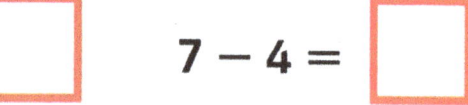

How many more has Sue? ☐   7 − 4 = ☐

Who has more buttons? _____

How many more? ☐

Shopping

Susan has ☐ p

Lyn has ☐ p

How much more has Lyn? ☐ p   6 − 2 = ☐

Meena has ☐ p

Wu has ☐ p

How much more has Meena? ☐ p   7 − 5 = ☐

Salim has 8p

Tom has 3p

How much more has Salim? ☐ p   8 − 3 = ☐

Wang has 4p

Jim has 9p

How much more has Jim? ☐ p   9 − 4 = ☐

Subtraction: comparing

22

Subtraction of money: comparing

Which costs more? ✓   **How much more?**

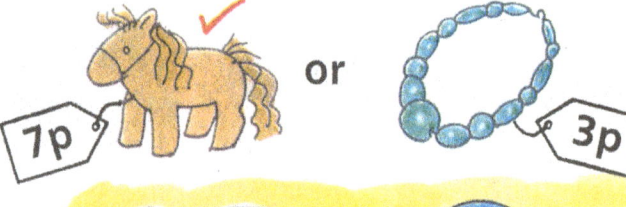 It costs [4] p more.

 or  It costs [ ] p more.

 or  It costs [ ] p more.

 or  It costs [ ] p more.

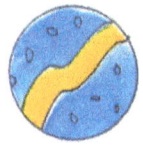 or  It costs [ ] p more.